D0296211

DE REUS VAN TEUS

AVI 3 - AVI-E3

CIP-gegevens: Koninklijke Bibliotheek Albert I

Druk: Oranje, Sint-Baafs-Vijve

D/2009/6048/18
NUR 287
ISBN 978-90-5838-548-2

www.eenhoorn.be

Thea Dubelaar | Benjamin Leroy

De reus van Teus

DE EENHOORN

Teus ziet een reus

Het is donker en koud.
Teus loopt naar huis.
Gewoon over het plein.
Hij heeft gespeeld bij Tim
tot kwart voor zes.
Om zes uur moet Teus thuis zijn.
Dat kan best.
Zijn huis is vlakbij.
Net om de hoek.
Het is stil op het plein.
Er loopt geen mens
en er rijdt maar een auto.
Teus wacht tot die weg is.
Dan steekt hij over.
Midden op het plein is een park.
Er zijn bomen en struiken.
En er is gras naast het pad.
Het gras ligt vol poep.
Bij de struiken beweegt iets.
Een hond, denkt Teus.
Maar het is geen hond.
Het is een been.
Het komt uit de struiken.
Teus ziet alleen de voet
en een stuk van het been
tot aan de knie.

Dat stuk been is erg, erg groot.
Groter dan Teus.
Dit kan niet, denkt Teus.
Zo'n groot been bestaat niet.
Maar het bestaat wel.
Hij ziet het echt.
Er komt nog een been.
Net zo groot.
En een lijf
en armen
en een hoofd.
Het hoofd is heel hoog.
Net zo hoog als de bomen.
Teus kijkt omhoog
met zijn hoofd in zijn nek.
Hij ziet een reus.
Een hele grote reus.
Eerst is Teus niet bang.
Reuzen bestaan niet.
Dit is niet echt.
Is het een droom of zo?
Maar dan buigt de reus naar hem toe.
Zijn hoofd komt op Teus af.
Het wordt groter en groter.
De reus heeft een snor
en een grote mond vol scheve tanden.
De droom wordt erg eng.
Teus holt weg zo hard hij kon.
Naar huis.

Lachen

Teus komt de keuken in.
Zijn haar is nat van het zweet
en zijn hoofd is rood.
‘Wat is er?’ vraagt mama.
‘Heb je een spook gezien?’
‘Nee, een reus,’ zegt Teus.
‘Ha, ha,’ zegt mama. ‘Wat een leuke grap!’
‘Het is echt waar!’ roept Teus.
Mama knikt.
‘Breng hem mee naar huis.
Als je hem nog eens ziet.’
‘Hij past hier niet,’ zegt Teus.
‘Hij is veel te groot.’
Mama lacht weer.
‘Was je handen,’ zegt ze.
‘We gaan eten.’

Ze eten soep
en kip met rijst.
Teus is dol op kip met rijst.
Hij denkt niet meer aan de reus.
Maar mama wel.
‘Teus zag een reus,’ zegt ze.
Zo maar.
Pats boem.
Papa kijkt op van zijn bord.
Eva laat haar vork zakken
en zijn broer Ben lacht.
Teus wordt rood.
Hij vindt het niet leuk,
dat mama dat zei.
‘Reuzen bestaan niet,’ zegt Eva.
‘Ze bestaan wel,’ zegt Ben.
‘En ze zijn dol op kleine jongens.
Pas maar op, Teus.
Straks vreet die reus je op.’
Hij lacht nog harder.
Ben is stom.
Eva is ook stom.
Maar papa niet.
Hij zegt: ‘Ik heb ook wel eens
een reus gezien. Toen ik klein was.’
Hij lacht niet.
Hij meent het echt.
Mama schudt het hoofd.
Eva en Ben gieren van het lachen.

Teus prikt in zijn kip.
De kip is Ben.
Teus prikt in zijn neus
en in zijn wang
en in zijn bil.
Keihard.
Ook onder zijn voet,
waar het heel zeer doet.
Hij denkt: ik zeg nooit
meer iets over een reus.
Nooit meer!

Raar maar waar

Papa brengt hem naar bed.
Teus ligt op zijn rug.
Papa doet het gordijn dicht.
Teus kijkt naar hem.

‘Heb je echt ooit een reus gezien?’ vraagt hij.
Eerst zegt papa niets.
Dan knikt hij.
‘Waar?’ vraagt Teus.
‘In de polder,’ zegt papa.

'In de verte.
Ik ging naar school op de fiets.
Bij een huis ver weg stond een man.
Hij was groter dan het huis.'
'Echt?' vraagt Teus.
Papa zucht.
'Vast niet,' zegt hij.
'Het kon niet echt een reus zijn.
Maar toch zag ik hem.'
'Ik heb hem ook gezien,' zegt Teus.
'Echt waar.'
Papa knikt.
Dan zegt hij: 'Zeg dat maar nooit meer.
Want geen mens gelooft je.'
'Maar jij toch wel?' vraagt Teus.
Papa knikt weer.
Hij trekt het dekbed op.
Tot vlak onder Teus' neus.
'Slaap lekker.
En droom maar niet,' zegt hij nog.

Teus ligt op zijn rug.
Hij kijkt naar het raam.
Staat daar nu een reus?
Dat kan best.
Want in het park was echt een reus.
Dat weet hij zeker.
Ook al is het raar.
Raar maar waar!
Hij glijdt uit bed.
Hij sluipt naar het raam.
Heel stil.
Het gordijn is niet goed dicht.
Teus kijkt door de kier.
Het sneeuwt.
Af en toe valt er een vlok op het raam.
Ze glijdt langs het glas
en maakt een nat spoor.
Net als een traan op je wang.
Teus gaat met zijn duim langs het spoor.
Buiten danst de sneeuw.
Een reus kan best, denkt Teus.
Alles kan.
Ook al lacht Ben nog zo hard.
Dan gaat hij weer naar bed.
Hij droomt mooi.
Van een reus
en sneeuw
en een erg grote sneeuwpop.

Een spoor

Sneeuw, denkt Teus,
zodra hij wakker wordt.
Sneeuw, sneeuw, sneeuw!
Hij springt uit bed.
Het is nog donker
en erg vroeg.
Buiten is alles stil en wit.

Net niet echt.
Maar zo mooi!
Snel doet hij zijn kleren aan.
Zacht sluipt hij naar buiten.
Er is niemand.
De sneeuw is gaaf en glad.
Hij zet een eerste stap.
De sneeuw kraakt onder zijn schoen.
Een stap en nog een stap.
Teus gaat de tuin uit.
Er komt een poes langs.
Haar pootjes zakken in de sneeuw.
Het kraakt niet
maar het maakt wel een spoor.
Op straat is het spoor van een auto
en het spoor van een voet.
Een erg, erg, erg grote voet.
De reus!
Het is het spoor van de reus.
Teus' hart bonkt.
Zie je wel.
Het kan!
Alles kan.
Hij volgt het spoor van de reus.
Elke stap van de reus is heel groot.
Wel zes stappen van Teus.
Het spoor gaat naar het plein.
Bij het plein is het druk.
Er gaan al mensen naar hun werk.

De bus rijdt net weg.
Teus ziet ook vijf auto's.
De sneeuw op de weg is plat en hard.
Er is geen spoor meer van een voet.
Teus steekt over.
Hij loopt naar de struiken in het park.
Daar is wel een spoor
van een hond.
En nog een van een poes
en ook een van vogels.
Maar geen spoor van een reus.
Hij zoekt heel goed
en erg lang,
maar er is echt geen reus.
Hij gaat terug naar huis.
In hun straat is het nu druk.
Een jongen brengt de krant rond.
De buurman gaat naar zijn werk.
De sneeuw op straat is hard en plat,
net als op het plein.
Er zijn geen voetstappen meer van een reus.
Hij kan het spoor niet meer laten zien.
Niet aan mama of papa.
En ook niet aan die stomme Ben.
Maar eerst was het spoor er wel.
Dat weet hij zeker.
'Ik heb het niet gedroomd,' zegt Teus.
Maar hij zegt het heel zacht.

Koud!

Teus denkt steeds aan de reus.
Bij het ontbijt,
op school
en bij Tim thuis.
Maar hij zegt niets.
Zelfs niet tegen zijn vriend.
Om kwart voor zes gaat hij naar huis.
'Tot morgen,' roept Tim hem na.
Teus steekt zijn hand op.
De sneeuw is nu prut.
De straat is nat en vies.
Maar het park is nog wit.
Teus blijft staan op het pad.
Hij kijkt naar de plek van de reus.
De sneeuw is er plat.
Hij loopt over het gras naar de struiken.
Dat mag niet van mama.
'Ga nooit van het pad af!' zegt ze elke keer.
'In de struiken zit soms een vieze man.'
Is een reus vies?
Niet vies, wel eng.
Teus is bang.
Toch gaat hij de struiken in.
Daar zit de reus op de grond.
Hij heeft het koud, dat zie je zo.
Zijn hoofd is niet meer zo hoog

omdat hij zit.
Maar toch moet Teus omhoogkijken.
De reus slaapt.
‘Hallo,’ zegt Teus zacht.
De reus doet een oog open.
‘Hallo!’ zegt Teus wat harder.
Nu doet de reus nog een oog open.
‘Hoi,’ zegt de reus.
Verder niets.
Het is stil.
Teus kijkt naar de reus.
De reus kijkt naar Teus.
Na een tijdje vraagt Teus:
‘Wat doe je daar?
Waarom zit je op de grond?
Heb je het niet koud?’
‘Niks, ik weet niet, ja,’ zegt de reus.
Verder niets.

‘Wil je mijn sjaal?’ vraagt Teus.
Hij doet zijn sjaal af.
De reus doet de sjaal om zijn neus.
Nog steeds heeft hij het koud.
‘Wil je mijn wanten?’ vraagt Teus.
Hij geeft een want aan de reus.
En nog een want.
De reus doet ze op zijn oren.
‘Lekker warm,’ zegt de reus.
‘Dank je wel.’
Hij heeft het toch nog koud.
Dat zie je zo.
Maar daar kan Teus niets aan doen.
‘Nou, dag,’ zegt hij.
De reus doet zijn ogen weer dicht.
Teus blijft nog even staan.
Dan gaat hij naar huis.

Een kind kan niets doen!

Ik moet iets doen voor de reus.
Hij gaat dood van de kou.
Dat mag toch niet gebeuren!
Ik moet iets doen.
Dat denkt Teus de hele tijd
op weg naar huis
en aan tafel
en voor de tv tot het bedtijd is.
Maar wat kan hij doen?
Een reus is te groot.
Te vreemd.
Te eng!
Wat kan een kind doen voor een reus?
Hij vraagt het aan papa
als die hem naar bed brengt.
'Wat kan ik doen voor een reus?
Een reus die doodgaat van de kou?'
'Niets,' zegt papa.
'Want een reus bestaat niet.'
'Hij bestaat wel,' zegt Teus.
'Hij zit in het park
en hij heeft het koud.
Echt waar.'
'Ik geloof je,' zegt papa.
'Voor jou bestaat hij.
En voor mij.

65 fr.
50 fr.
40 fr.
35 fr.
25 fr.

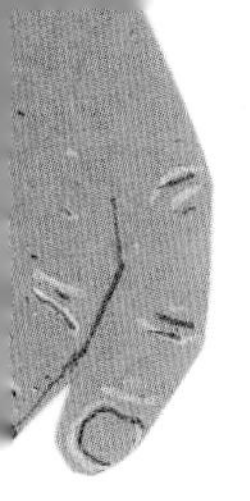

Maar voor de rest niet.
De mensen willen niet dat hij bestaat.
Dus zien ze hem niet.
Dus is hij er niet.
Dus kun jij niets voor hem doen.
Welterusten.'
Papa trekt het dekbed op.
Dan gaat hij weg.

Teus is kwaad.
Kwaad op papa,
kwaad op mama,
kwaad op Eva en Ben
en op de rest van de mensen.
Het is vals.
Gemeen.
Echt erg.
Hoe kunnen ze!
Een reus gaat dood van de kou
en zij doen of hij niet bestaat!
Dat kan niet.
Dat mag niet.
Hij moet zelf iets doen.
Iets.
Maar wat?
Wat kan een kind doen?
Niets, niets, niets!
'Ik wil je wel helpen, reus.
Maar ik ben maar een kind.
Een kind kan niets doen.
Vergeef me, reus.'
Dat zegt Teus.
Heel zacht.
En hij huilt.
Omdat het zo zielig is.
Arme reus!

Een bult in de sneeuw.

Teus wordt heel vroeg wakker.
Het is pas zes uur.
Het is stil in huis.
Het is ook stil op straat.
Het heeft weer gesneeuwd.
Arme reus, denkt Teus.
Zou hij nog leven?
Of is hij doodgegaan van de kou?
Hij glijdt uit bed.
Snel kleedt hij zich aan.
Hij eet een snee brood
en hij drinkt wat melk.
De rest van de melk warmt hij op.
Die is voor de reus.
Hij doet de melk in een kan.
De kan gaat in een tas.
Hij pakt ook een brood in
en een nieuw stuk kaas.
Het is niet veel voor een reus
maar het is beter dan niets.
Buiten denkt hij aan het zeil.
Een groot blauw zeil.
Het ligt in de schuur.
In de zomer maakte hij er een tent van.
Hij haalt het zeil uit de schuur
en neemt het ook mee voor de reus.

iekoeken met spek :
bereiden. Aan de ande
on in boter bakken
op iedere

De tas is nu zwaar.
Ze slaat steeds tegen
zijn been.
Teus loopt scheef door
de tas.
Hij maakt een raar spoor
in de sneeuw.
Een voet staat scheef.
Een voet staat recht.
Er is geen spoor van de reus.
Ook niet in het park.
De sneeuw op het pad is
nog glad.
Teus loopt door de verse
sneeuw.

De struiken zijn wit en bol.
Teus duwt ze opzij.
De sneeuw valt eraf.
Op zijn neus en in zijn nek.
Teus let er niet op.
Hij zoekt de reus.
Maar hij ziet hem niet.
Er is wel een bult van sneeuw.
Is dat de reus?
'Hallo,' zegt Teus.
De bult beweegt niet.
'Hallo!' roept Teus heel hard.
Nog steeds beweegt er niets.
De reus is dood, denkt Teus.
Of weg.
Maar dan komt er een barst in de bult.
De reus blaast de sneeuw van zijn mond.
Hij schudt met zijn hoofd.
De sneeuw valt ook van zijn gezicht.
Maar het zit nog wel op zijn haar
en in zijn snor.
Het ziet er gek uit.
Teus begint te lachen.
De reus lacht mee.
Zijn lijf schudt van het lachen.
De sneeuw gaat stuk.
Ze valt op de grond.
'Ook hallo!' zegt de reus.

Honger

‘Ik heb iets voor je,’ zegt Teus.
Hij legt het zeil op de grond
en zet de tas neer.
Hij pakt de kan melk eruit
en de kaas.
Hij maakt de zak brood open.
Hij geeft een snee aan de reus.
‘Dank je,’ zegt de reus.
Hij slokt de snee op.
Dan pakt hij de zak met het brood.
Hij schudt hem leeg in zijn mond.
Het hele brood in één keer.
De reus heeft erg veel honger
en zijn mond is heel groot.
Het brood lijkt erg klein.
Hap, slik, weg is het.
De reus pakt de kaas.
Hij stopt het stuk zo in zijn mond.
‘Wacht!’ roept Teus.
Het plastic moet er nog af.
De reus spuugt het weer uit op zijn hand.
Hij pulkt aan het stuk kaas.
Maar zijn vingers zijn te dik.
‘Laat mij het doen,’ zegt Teus.
De reus houdt zijn hand bij de grond.
Teus klimt op de hand.

Hij haalt het plastic van de kaas.
Dan springt hij vlug weer op de grond
want de hand gaat alweer omhoog.
Hap, slik!
'En wat is dat?' vraagt de reus.
Hij wijst naar de kan.
'Warme melk,' zegt Teus.
'Wat een vreemde melk,' zegt de reus.
'Zit daar ook plastic om?'
Teus haalt de dop van de kan.
Hij schenkt een scheut melk in zijn mond.
'Zo moet dat,' zegt hij.
De reus knikt.
Hij snapt het.
Hij giet de kan leeg in zijn mond.
Alle melk in één keer.
'Lekker warm!'
De reus smakt.
'Heb je nog meer?
Ik heb honger!
Erg veel honger!
Ik wil eten.
Het maakt niet uit wat.'
Hij kijkt naar Teus.
Teus roept vlug: 'Ik ben taai.
Mij kun je niet eten, hoor.
Ik smaak erg vies!'
Hij loopt alvast een eindje
weg van de reus.

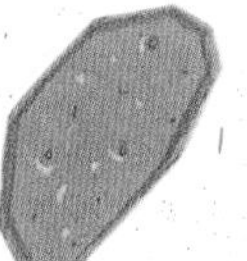

‘Weet ik,’ zegt de reus.
‘Je hoeft niet bang te zijn.
Een reus eet geen mensen.
Dat doen wij nooit!’
Teus weet niet of dat waar is.
Hij vraagt: ‘En de reus van
Klein Duimpje dan?’
‘Dat is een dom sprookje,’
zegt de reus.

année, l'étoile
est venue
gebruik
BALATUM

Geen bed

‘Goos,’ zegt de reus.
Goos?
Teus weet niet wat goos is.
‘Bedoel je boos?’ vraagt hij.
De reus schudt het hoofd.
‘Ik heet Goos!’
‘Teus,’ zegt Teus.
‘Bedoel je reus?’ vraagt Goos.
Maar dat is een grapje.
‘Waar kom je vandaan?’ vraagt Teus.
‘Heb je geen huis?’
De reus zucht droevig.
‘Ik had een huis,’ zegt hij.
‘Ver weg.
Aan de voet van een berg.
Het was een mooi, groot huis.
Maar op een dag was er een storm
en erg harde regen.
Mijn huis stortte in
en het spoelde weg.
Mijn tuin spoelde ook weg.
De hele berg spoelde weg.
Ik had niets meer te eten.
Ik had niet eens meer een bed.
Toen ben ik weggegaan.’
‘En waar woon je nu?’ vraagt Teus.

'Nergens.
Ik zwerf.
Ik zoek een plek met een bed.
Maar nergens is er plaats voor mij.
Daarom zit ik hier.'
Teus schudt het hoofd.
'Je kunt hier niet blijven zitten, Goos.'
'Jaag je me weg?' vraagt de reus.
'Nee, dat niet.
Maar het is hier veel te koud.
Straks bevries je nog.'
'Dat kan me niet schelen,' zegt Goos.
'Ik ben het zat.
Ik wil niet meer zwerven.
Ik blijf hier.
Zelfs al ga ik dood van de kou.'
Teus vindt dat geen goed idee.
De reus moet hier weg.
Hij moet een huis voor hem vinden.
Een heel hoog huis.
Hoog genoeg voor een reus.
'Ik moet nu weg,' zegt Teus.
'Maar ik kom terug.
Aan het eind van de dag.
Kruip onder het zeil
dan blijf je droog.'
'Dat zal ik doen,' zegt Goos.
'Jij bent een goed mens, Teus.
Echt een vriend.
Dank je wel.'

Een plek voor Goos

Teus loopt door zijn straat.
Hij kijkt naar elk huis.
Niet een is groot genoeg voor een reus.
Op weg naar school kijkt hij ook.
Een huis, een huis en nog een huis.
Te klein, veel te klein.
Hij komt langs de sporthal.
Die is groot.
Groot genoeg voor de reus.
Maar de deur is te laag en te smal.
Daar kan een reus niet doorheen.
Zelfs niet als hij kruipt.
Is er dan niet één plek voor een reus?
Op school denkt Teus nog steeds aan Goos.
Hij hoort niets.
Hij ziet niet wat juf op het bord schrijft.
Hij let niet op.
Juf wordt boos.
'Doe niet zo duf,' roept juf.
'Slaap je soms, Teus!
Of ben je doof?'
Teus wordt rood.
Hij doet zijn best.
Hij denkt niet meer aan de reus.
Niet zolang hij in de klas zit.
Maar wel na school.

Hij loopt met Tim mee.
Hij zegt niets over de reus.
Maar hij vraagt wel:
'Weet jij een heel groot huis?'
'Hoe groot?' vraagt Tim.
'Heel groot,' zegt Teus.
'En heel hoog.
Met een deur zo groot als een reus.'
'Zo'n groot huis is er niet,' zegt Tim.
'Alleen de kerk op het plein is zo groot.
Maar een kerk is geen huis.'
De kerk!
Het is waar wat Tim zegt.
De kerk is groot genoeg voor een reus.
Maar een kerk kan geen huis zijn.
Of wel?
Voor heel even.
Tot het weer warm wordt.
'Ik moet naar huis,' roept Teus.

‘Ik zou naar oma gaan.
Dat vergat ik bijna.
Dag Tim.’
Hij holt weg.
Tim kijkt hem na.
Hij vindt dat zijn vriend raar doet.
Maar dat kan Teus niet schelen.
Hij heeft haast.
Hij holt naar de kerk.
De deur van de kerk is erg hoog
en erg breed
en heel zwaar.
Teus moet hard duwen voor ze opengaat.
In de kerk is het donker en stil.
Er is niemand.
Teus kijkt omhoog.
De kerk is hoog genoeg voor een reus.
Dit is een goede plek voor Goos.

De hond

Er loopt een vrouw in het park
met haar hond.
De hond mag los.
Hij gaat van het pad.
Hij ruikt hier en daar
en plast af en toe.
Hij gaat naar de plek van Goos.
Nee, nee, denkt Teus.
Niet daarheen, stom beest.
Hij fluit naar de hond.
Het dier komt naar hem toe.
Teus geeft hem een aai.
'Het is zo'n lief dier,' zegt de vrouw.
Teus knikt.

'Maar u moet hem niet los laten.
Er is hier een enge man.
Die strooit weleens gif.
Hij haat elk dier.
Poes of hond, dat maakt niet uit.
Hij wil dat ze doodgaan door het gif.
Dat doet hij op een stuk vlees.'
Wat lieg ik goed, denkt Teus.
'Wat erg!' roept de vrouw.
'Wie doet dat nou!
Heeft die man geen hart?'
Ze maakt haar hond vast aan de riem
en ze gaat meteen het park uit.
Teus wacht tot ze weg is.
Dan loopt hij naar Goos.
De reus zit er nog steeds.
Hij ziet blauw van de kou
en hij rilt.
'Kom mee,' zegt Teus.
'Ik weet een plek voor jou.'
'Een huis?' vraagt Goos.
'Niet echt,' zegt Teus.
'Het is een kerk.
Hier vlakbij.
Je steekt de straat over
en dan ben je er.
Het is er droog
en niet zo koud als buiten.'

‘Oh,’ zegt Goos.
‘Wat is er?’ vraagt Teus.
‘Wil je niet?’
‘Ik ben bang,’ zegt de reus.
‘Bang voor de baas van de kerk.
Vindt die het goed?
Wil die wel een reus in zijn huis?’
Dat weet Teus niet.
Hij weet niet eens wie de baas is.
Maar dat zegt hij niet tegen Goos.
‘De baas is er niet,’ zegt hij.
‘De kerk is leeg en stil en donker.
Er is niemand die je ziet.
En als je hier blijft,
ga je dood van de kou.
Kom mee!’
De reus staat op.

Een reus in de kerk

Teus kijkt omhoog.
De reus is zo groot!
Hij lijkt nog groter dan eerst.
Niemand mag hem zien
want dan komt er paniek.
'Wacht,' zegt Teus.
'Ik ga eerst kijken.
Ik roep je als de straat leeg is.
Dan kom jij vlug.
Ik doe de deur vast open.
Jij rent de kerk in
voordat iemand je ziet.'
De reus knikt.
Het duurt lang voor de straat leeg is.
'Nu!' roept Teus.
Hij rent naar de kerk.
Maar Goos gaat vlugger.
In drie stappen is hij er.
Hij bukt en duwt tegen de deur.
Die is net groot genoeg.
Goos kruipt naar binnen.
Teus gaat ook de kerk in.
De reus gaat staan.
Teus houdt zijn adem in.
Is de kerk hoog genoeg?
Ja!

Het gaat net.
Hij lacht.
De reus lacht ook.
'Mooi huis,' roept hij.
'En lekker warm!'
'Wacht,' zegt Teus.
'Ik steek een kaars aan.
Dan wordt het hier nog warmer.'
Hij zet de kaars bij een beeld.
Daar staat al een kaars te branden.
Het lijkt alsof het feest is.
'Nu ga ik even weg,' zegt Teus.
'Om iets te halen.
Ik kom gauw weer terug.'
'Moet dat?' vraagt de reus.
'Ik wil graag dat je bij me blijft.'
'Wees maar niet bang,' zegt Teus.
'Er kan niets fout gaan.
Ik ben echt zo weer hier.'
Maar Goos is wel bang.
Hij vraagt: 'En als er iemand komt?
Wat moet ik dan doen?'
'Dan sta je heel stil,' zegt Teus.
'Zo stil als een beeld van steen.'
Dan gaat hij vlug naar huis.
Om spullen te halen voor Goos.

Een monster

Teus komt thuis.
Mama wacht op hem.
‘Er is een muis in huis,’ zegt ze.
‘Een knoert van een muis.
Hij heeft een heel brood op.
En een stuk kaas.
En een pak melk.
Was jij soms die muis, Teus?’
O jee, denkt Teus.
Dit gaat fout.
Hij knikt.
Dat kan niet anders.
‘Ik had erg veel trek,’ zegt hij.
Mama lacht.
‘Jij lijkt wel een reus!’ zegt ze.
Teus lacht ook maar.
Dat is het beste.
Hij gaat naar zijn kamer.
Hij pakt zijn geld
en een oud dekbed.
Dat rolt hij heel strak op
en gooit het uit het raam.
Zo ziet mama niet dat hij het meeneemt.
‘Ik ga nog even naar Tim,’ zegt hij.

Vlug holt hij weg.
Voor mama nog iets vraagt.
Hij koopt brood en kaas en appels.
Dan gaat hij weer naar het plein.
Het is heel druk bij de kerk.
Het staat er vol mensen.
Teus schrikt.
Er is iets mis.
In de verte hoort hij de brandweer.
Die komt er ook aan.
Teus holt naar de kerk.
Hij duwt de mensen opzij
tot hij vooraan is.
Er staat een agent voor de kerk.
Niemand mag erin.
Teus gaat toch naar de deur.
Maar de agent grijpt zijn arm.
'Je kunt er niet in,' zegt hij.
'Er zit een monster in de kerk.
Een soort reus.'
'Dat is geen monster,' zegt Teus.
'Dat is Goos.
Ik ken hem.
Hij is mijn vriend.'
'Dat kan wel zijn,' zegt de agent.
'Toch mag je er niet in.
Eerst gaan we hem vangen.

We doen hem in een kooi.
Dan kan hij niets meer doen.'
Teus wordt koud van angst.
Arme Goos.
Ze gaan hem vangen
en dat is zijn schuld!
Hij moet iets doen!
'Goos!' gilt hij.
Zo hard als hij kan.
'Kom hier, Goos.
Vlug. Vlug!'
'Hou je mond,' zegt de agent.
Maar Teus blijft gillen.

Gered

De kerkdeur vliegt open.
Goos kruipt naar buiten.
Er hangt een man aan zijn been
en een vrouw aan zijn arm.
Goos schuift de agent opzij.
Hij staat op.
De vrouw laat zijn arm los.
Met een gil valt ze op straat.
De man laat zijn been los
van de schrik.
Goos buigt naar Teus.
Hij pakt hem op.
Dan loopt hij weg.
Met reuzenstappen.
De brandweer komt het plein op.
Goos stapt zo over hun auto heen.
Teus hangt in zijn hand.
Het is leuk en ook eng.
Hij hangt heel hoog.
Hij kan alles zien.
'Goed zo, Goos!' roept hij.
'Rennen.'
En daar gaan ze.
De reus vliegt door de straten.

Zo snel als een speer.
Ze zijn de stad al uit.
Goos holt naar een bos.
Daar staat hij pas stil.
Teus lacht.
'Het is gelukt,' zegt hij.
'Je bent vrij.'
Goos knikt.
'Door jou,' zegt hij.
'Omdat je me riep.

Anders stond ik daar nu nog.
Dank je wel.'
Hij zet Teus op de grond.
'Zeg dat niet,' roept Teus.
'Het was mijn schuld.
Door mij zat je in de kerk.
Door mij werd je ontdekt.
Bijna was je gepakt.
Door mijn schuld.
Ik schaam me.'
'Nee,' zegt Goos.
'Schaam je niet.
Je hielp me.
Je gaf me eten.
Je bent mijn vriend.
Dat vergeet ik nooit.
Door jou wil ik weer leven.
Ik ga op zoek naar een plek die nog vrij is.
Een warme plek.
Een goede plek voor een reus.
Daar maak ik dan een huis.'
'Hier,' zegt Teus.
Hij geeft hem het dekbed
en het brood, de kaas en de appels.
'Dat is voor onderweg.
Goede reis.'
'Dank je wel,' roept Goos.
Hij loopt al weg
met erg grote stappen.

Geluk

Teus loopt naar huis.
Het is donker en koud en ver.
Hij loopt zo hard hij kan.
Maar hij gaat niet zo snel als Goos.
Toch zou hij geen reus willen zijn.
Niet echt.
Want een reus is altijd alleen.
Niemand wil hem zien.
Omdat hij groot en eng en raar is.
Teus steekt een straat over
zonder te kijken.
Er komt net een fiets aan.
De man op de fiets roept iets.
Teus schrikt.
Hij had de fiets niet gezien
omdat hij aan Goos dacht.
Vlug springt hij op de stoep.
Net op tijd.
Hij kijkt om zich heen.
Hij is in een vreemde straat.
In een vreemde buurt.
Teus weet niet waar hij is.
Hij is de weg kwijt.
Dat is echt erg.
Het is al zo laat.
Hij moest allang thuis zijn.

Er komt een vrouw aan.
Het is de vrouw met de hond
uit het park.
Hij vraagt de weg aan de vrouw.
Hij heeft geluk.
Het is niet ver meer.
Net voor het eten komt hij thuis.
'Wat ben je laat,' zegt mama.
'Waar zat je?
Was je handen
en kom aan tafel.'
'Teus was bij zijn reus,' zegt Ben.
Eva lacht.
Teus doet of hij doof is.
Hij eet zijn soep en denkt aan Goos.
Waar zou die nu zijn?
Is hij al in een ander land?
Een land dat goed is voor reuzen.
Waar Goos welkom is.
Waar hij voor altijd mag blijven.
Dat zou mooi zijn.

‘Waar denk je aan?’ vraagt papa.
‘Aan geluk,’ zegt Teus.
‘Doe dat straks maar,’ zegt mama.
‘Eet nu je soep.’

Inhoud